Cendrillon

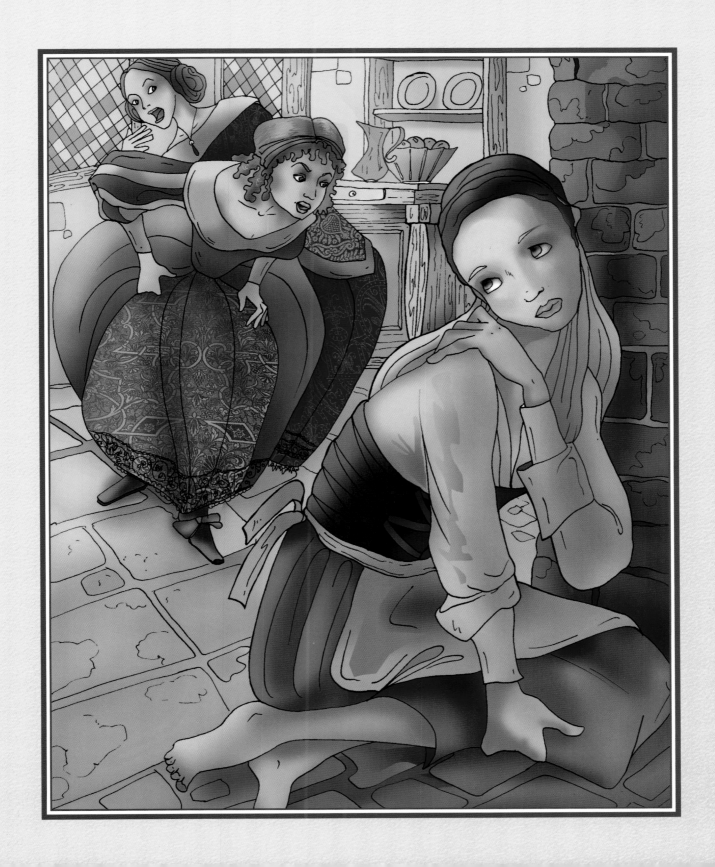

© Éclairs de Plume, 2005

Direction de l'édition
Bertrand-Pierre ÉCHAUDEMAISON

Adaptation des textes
Sylvie CADOCHE
Bertrand-Pierre ÉCHAUDEMAISON

Illustrations
Nathalie LESSUEUR
Patrick LESSUEUR
Jean-Yves MASSON
Paul PUAUX

Relecture et correction
Christine DESCOINS

Maquette
Laurence DAPOIGNY

Impression et reliure en U.E

Dépôt légal : juin 2005

I

l était une fois un Gentilhomme fort aimable et très travailleur qui vivait dans une grande et belle maison, entouré de son épouse, la femme la plus charmante qui soit, et de sa fille, une adorable fillette, jolie comme un cœur.

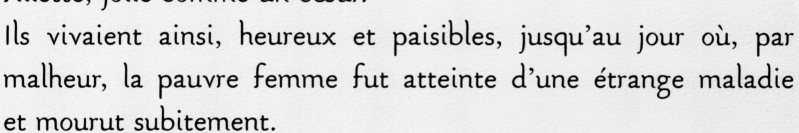

Ils vivaient ainsi, heureux et paisibles, jusqu'au jour où, par malheur, la pauvre femme fut atteinte d'une étrange maladie et mourut subitement.

Le père et sa fille en conçurent un immense chagrin ; les fleurs et les rires disparurent de la maison qui devint triste et sombre. Le brave homme eut le cœur brisé d'avoir perdu sa femme chérie et de voir désormais sa fille désemparée, pleurant nuit et jour. De longs mois s'écoulèrent pendant lesquels l'absence cruelle plongea ces deux êtres abandonnés dans un désespoir toujours plus profond.

Le Gentilhomme avait trouvé refuge dans le labeur. Des premières lueurs de l'aube jusqu'aux dernières rougeurs du crépuscule, il s'enfermait dans ses registres et couvrait d'encre nombre de parchemins, d'une plume nerveuse que l'on entendait crisser dans les sombres couloirs de la demeure endeuillée.

Un matin de printemps, le Gentilhomme partit pour quelque foire où il avait affaire. Il en revint tout revigoré ; il avait, en effet, rencontré une femme d'une certaine beauté qui semblait s'intéresser à lui. Cette veuve de noble famille était la mère de deux jeunes filles qu'elle élevait désormais seule.

Croyant ainsi pouvoir redonner vie à sa grande demeure et retrouver un peu du bonheur qu'il avait jadis connu, il demanda bientôt la main de la belle intrigante qui s'empressa d'accepter.

C'est ainsi qu'un pluvieux matin d'automne, la pauvre orpheline vit débarquer sa belle-mère, flanquée de ses deux filles. Mais à peine fut-elle installée dans son nouveau foyer, que la marâtre se révéla sous un nouveau jour.

Le sourire s'évanouit sur ses lèvres et l'éclat de ses grands yeux verts se fit froid comme la lame d'une épée. Elle traita bientôt sa belle-fille avec la plus grande méchanceté ; elle lui imposait sans cesse de nouvelles tâches ménagères, la rabrouant toujours, la nourrissant de quelques restes et de pain moisi.

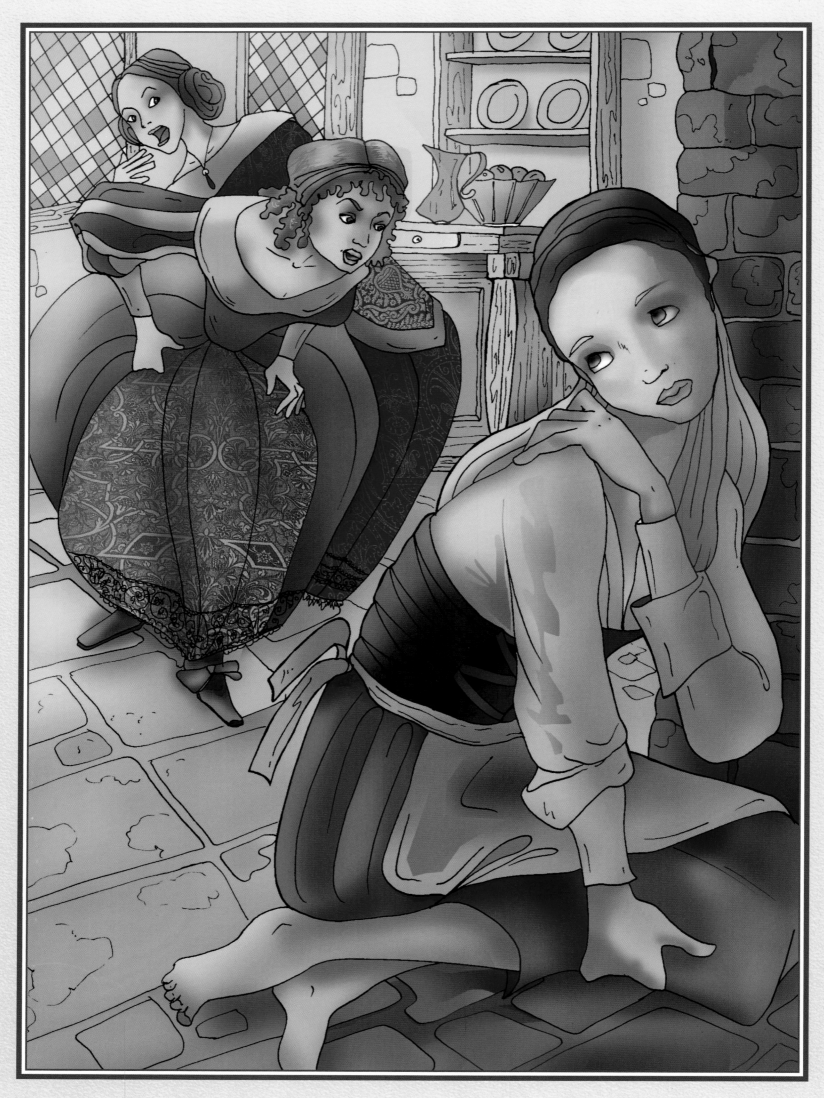

'injustice était d'autant plus criante que cette femme si méchante avec sa belle-fille, réservait toutes ses attentions à ses deux filles. Rien n'était assez beau ni luxueux pour les deux capricieuses. Les meilleurs plats, les plus élégantes robes, les cours de maintien, de danse et de musique leur étaient destinés alors que leur demi-sœur vivait vêtue de guenilles, privée de tout sauf des plus pénibles corvées ménagères. Le maître de maison, affligé par l'attitude de sa nouvelle compagne, n'osait pourtant s'opposer à sa volonté et se désespérait en silence de voir sa fille ainsi maltraitée.

Lorsque le soir venait enfin, la jeune fille épuisée et transie, avait pris pour habitude de s'asseoir au bord de la cheminée sur les cendres encore tièdes qui s'accro-chaient à ses haillons. Voyant cela, la plus jeune des deux sœurs qui répondait au nom de Javotte, lui donna le surnom de Cendrillon.

Cendrillon quoique fatiguée et mal vêtue était pourtant cent fois plus belle que ses sœurs par alliance.

Il arriva que le roi décida de donner un bal en son château et qu'il y convia toutes les jeunes personnes de qualité de son royaume ; à ce titre, les deux demoiselles furent conviées.

Pendant des jours, on ne parla plus que de cet événement considérable, de la façon dont on serait coiffé et de la manière dont on s'habillerait : " Moi, dit l'aînée, je porterai mon habit de velours rouge et mes manchettes d'Angleterre. - Moi, dit la cadette, je mettrai ma jupe ordinaire ; mais je porterai mon manteau brodé de fleurs d'or et ma barrette de diamants. " On acheta les meilleures mouches du royaume et l'on fit venir une coiffeuse de renom qui dressa avec talent les cornettes à deux rangs.

Cendrillon qui croulait sous le repassage et les corvées nouvelles, accepta pourtant d'apporter ses conseils car elle avait le goût sur et le cœur bon. Elle proposa même à ses sœurs de les coiffer, ce qu'elles acceptèrent en lui disant : " Cendrillon, te plairait-il de te rendre au bal ? - Hélas, vous vous moquez de moi, répondit la jeune fille, ce n'est pas là ce qu'il me faut.

u as raison, on s'amuserait bien de voir Cendrillon se rendre au bal dans une telle tenue ! " Et elles éclatèrent d'un rire bruyant, défaisant en partie les coiffures que leur sœur s'appliquait à créer depuis des heures. D'autres que Cendrillon les auraient coiffées de travers, mais elle n'en fit rien. Pendant plusieurs jours, les deux jeunes filles au comble de l'excitation, en oublièrent de manger et passèrent de longs moments devant leur miroir à parfaire quelque détail de leur apparence ; on cassa plus de douze lacets pour les serrer dans leur corset et leur rendre la taille plus menue.

Enfin, l'heure du départ arriva et Cendrillon les suivit du regard aussi longtemps qu'elle le put ; dès que l'attelage se fut évanoui derrière la haie d'arbres, elle fondit en larmes.

Sa marraine qui se trouvait être une bonne fée, apparut et lui demanda ce qui la tourmentait : " J'aimerais bien... je souhaiterais... j'aurais voulu... " hoqueta Cendrillon dont les pleurs lui tenaient les mots coincés dans la gorge. " Tu aimerais te rendre au bal... Est-ce bien cela qui cause ton chagrin ? - Hélas, oui, ma chère marraine, soupira la jeune fille dans un sanglot. - Tu me promets d'être toujours bonne et généreuse, n'est-ce pas ? Alors je t'y ferai aller, ma chérie, promit la Fée.

V a dans le potager et rapporte m'en une citrouille. ''
Cendrillon ne comprenait pas en quoi une cucurbi-
tacée, même de couleur orange, pourrait l'aider à se
rendre au bal, mais elle cueillit pourtant la plus belle et la porta
à sa marraine. La Fée vida le légume de tout son contenu, n'en
conservant que l'écorce sur laquelle elle donna un coup de
baguette magique. Alors, dans un brouillard d'étincelles dorées,
apparut le plus beau carrosse que l'on eût pu rêver.

Elles se rendirent ensuite à la souricière dans laquelle six petites souris grises tournaient en rond à la recherche d'une sortie.

Dès la trappe entrouverte, elles se précipitèrent à la queue leuleu et chaque fois qu'un museau pointait à l'extérieur, la Fée y appliquait un coup de sa baguette magique, transformant le rongeur en un puissant cheval à la robe gris pommelé. Et c'est ainsi qu'advint le magnifique équipage d'un luxueux carrosse tiré par six destriers.

Comme sa marraine se demandait de quoi elle ferait un Cocher, Cendrillon regarda dans la ratière ; trois gros rats y ronflaient de concert. La Fée en sortit le plus dodu qui portait une longue barbe ; il n'eut pas le temps de s'éveiller que d'un coup de baguette, il fut transformé en un gros Cocher qui portait fièrement la plus belle des moustaches.

"Va dans le jardin, ordonna ensuite la marraine. Tu y trouveras derrière l'arrosoir six beaux lézards ; rapporte-les ! "

À peine Cendrillon avait-elle posé les six reptiles devant la Fée que celle-ci les changea en six laquais en tenue d'apparat qui montèrent à l'arrière du carrosse et s'y tinrent comme s'ils n'avaient jamais fait que cela.

" Voilà un équipage qui saura dignement te mener au bal. En es-tu satisfaite ? - Oh oui, chère marraine, répondit la jeune fille émerveillée, mais devrai-je m'y rendre dans ces guenilles ? " Pour toute réponse, la bonne fée conduisit Cendrillon dans sa pauvre chambre sous les toits ; elle toucha simplement les haillons de sa baguette magique et les changea en une robe de fil d'or constellée de pierres précieuses dont les reflets scintillèrent aux quatre coins de la mansarde. Elle mit à ses pieds une paire de pantoufles de verre et enfin fit monter sa filleule dans le carrosse.

Avant de laisser partir le magnifique équipage, la bonne fée fit ces dernières recommandations : " Surtout n'oublie pas de rentrer avant minuit. Passée cette heure, ton carrosse redeviendra citrouille, les chevaux feront des souris, les laquais seront mués en lézards, le Cocher sera un gros rat et ta robe de bal se changera en guenilles. – N'ayez aucune crainte, marraine, je serai de retour avant minuit ; je vous le promets ! "

Son arrivée au Château fit tant de bruit que le Fils du Roi lui-même vint accueillir la belle inconnue et la conduisit à son bras jusqu'à la salle de bal. À sa vue, un long silence se fit ; la musique se tut et sur son passage, tous les regards de la Cour se posèrent sur la mystérieuse princesse dont l'exception- nelle beauté forçait l'ad- miration de tous. Le Roi lui-même ne put s'em- pêcher d'exprimer son étonnement à l'oreille de son épouse qui dut conve- nir que jamais semblable beauté ne s'était vue en ces lieux.

Le Fils du Roi invita la belle à sa table ; il fut subjugué par le charme de sa conversation et la douceur de sa voix. Le Prince invita Cendrillon à danser et le sourire éclatant de la jeune personne allié à l'élégance de son geste, fit chavirer son cœur. On donna plus tard une collation et le Fils du Roi qui ne songeait point à manger, offrit à la jeune fille, de délicieux citrons et oranges confites, tout en la dévorant des yeux.

Apercevant ses sœurs assises à quelques tables de là, Cendrillon s'excusa auprès de son hôte et se rendit auprès d'elles qui ne la reconnurent pas. Elle leur fit mille compliments et leur offrit les confiseries, ce qui acheva de surprendre les deux demoiselles, confondues devant tant d'attention de la part d'une Princesse reçue à la table du Roi.

Lorsque onze heures sonnèrent, Cendrillon se leva, fit sa révérence et remonta dans son carrosse, laissant derrière elle la Cour et tous les Grands du Royaume muets d'admiration.

Dès qu'elle fut rentrée chez elle, Cendrillon appela la bonne Fée qui apparut aussitôt ; elle lui raconta par le menu détail cette soirée qui était la plus belle qu'elle eût vécu depuis longtemps. Elle ajouta : " Ma chère marraine, en me quittant, le Prince m'a invité demain soir à un nouveau bal au Château ; se pourrait-il que je puisse y retourner ? - Mais oui, ma chérie, nous nous en occuperons demain ! " répondit la Fée avant de disparaître dans un nuage bleuté.

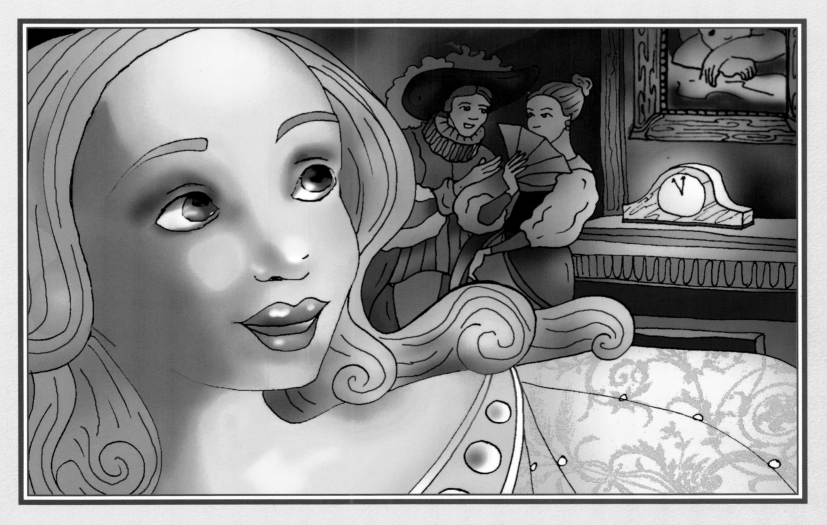

A cet instant précis, on heurta la porte ; Cendrillon courut ouvrir à ses sœurs, prenant l'air endormi, s'étirant comme si elle sortait de son lit.

" Vous rentrez si tard ; la soirée dut vous semblez bien réussie, lança-t-elle en bâillant.

– Oh, c'était merveilleux, répondirent-elles en chœur. Tu te serais bien amusée aussi de voir la plus belle Princesse qui ait jamais été. Elle nous a même offert des oranges et des citrons.

– Et comment se nomme cette merveilleuse personne ?

– Tout le monde l'ignore et le Prince donnerait tout pour l'apprendre.

– Que vous avez de la chance ! J'aimerais tant la voir ; ne pourriez-vous me prêter une de vos robes de tous les jours ?

– Mais vous n'y songez pas, répondit l'aînée. Qu'iriez-vous faire dans le grand monde avec vos manières de souillon ?"

Et l'on se coucha sur ces méchantes paroles qui amusèrent fort Cendrillon.

L e lendemain les deux sœurs parurent au bal et furent stupéfaites de voir entrer la mystérieuse Princesse dans une tenue encore plus somptueuse que la veille ; Cendrillon dansa toute la soirée avec le Fils du Roi, tant et si bien qu'elle en oublia l'heure.

Et lorsqu'elle entendu le premier coup de minuit, la malheureuse planta sur place son cavalier et se précipita dans les escaliers si vite qu'elle perdit une de ses pantoufles de verre.

À peine le carrosse avait-il passé les grilles du Château, que le douzième coup de minuit retentit et que Cendrillon se retrouva par terre assise en haillons sur la citrouille écrasée, entourée des

lézards, des souris et du rat encore ahuris par leur soudaine muta-tion. Pendant ce temps, le Fils du Roi qui, ayant couru après la belle, n'avait pu que ramasser la pantoufle de verre, chercha à connaître l'identité de la mystérieuse évanouie.

Personne ne put lui rendre réponse et il s'en ouvrit au Roi son père. Le souverain ordonna que l'on fît essayer la pantoufle de verre à toutes les jeunes filles du Royaume ; il promit que celle dont le pied conviendrait parfaitement au soulier épouserait le Prince. Ainsi les émissaires du Roi par-coururent tout le royaume pendant de longues semai-nes jusqu'au jour où l'un d'entre eux frappa à la porte de la gentilhommière.

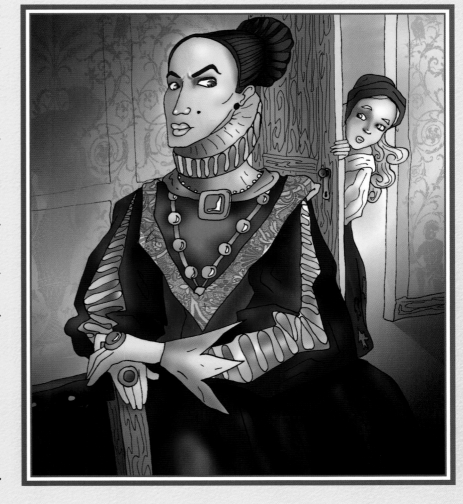

Cendrillon s'en vint ouvrir et n'eut pas même le temps de saluer l'envoyé du Roi que sa belle-mère l'avait déjà entraîné dans un salon où attendaient ses deux filles avec la dernière impatience. Chacune s'efforça de chausser le soulier magique, mais aucune des deux n'y parvint malgré de douloureux efforts.

Alors que déjà on le reconduisait vers son carrosse, l'émissaire royal aperçut Cendrillon au détour d'une porte ; il avait remarqué l'exceptionnelle beauté de la souillon et insista pour qu'elle lui fût présentée ; malgré les protestations de sa belle-mère, la jeune fille tendit le plus joli pied qui soit et chaussa la pantoufle de verre sans la moindre difficulté.

Puis, à la stupéfaction de l'envoyé du Roi, elle sortit de sa poche la seconde pantoufle de verre qu'elle mit à son autre pied.

À cet instant apparut la bonne Fée qui d'un coup de baguette magique la revêtit de la façon la plus somptueuse qui se fût jamais vue. L'ayant reconnue, ses deux sœurs se jetèrent à ses pieds et la supplièrent de pardonner les mauvais traitements qu'elles lui avaient infligés. Cendrillon qui avait un cœur d'or, les serra contre elle avant de suivre l'émissaire du Roi.

Le Prince l'épousa peu après et, ayant oublié toute rancune, elle fit même venir ses deux sœurs au Château. Elle les maria bientôt à quelques Grands Seigneurs du Royaume.

FIN

Le Petit Poucet

*I*l était une fois un bûcheron et une bûcheronne qui vivaient au cœur d'une forêt profonde dans une misérable chaumière. Ces pauvres gens n'avaient pour toute richesse que leurs sept enfants pour la plupart des jumeaux et des jumelles, âgés de sept à dix ans. Le cadet répondait au nom de Petit Poucet parce qu'il était né minuscule et avait bien du mal à grandir. Il parlait peu, ce qui le faisait passer pour un peu simplet, mais son regard vif montrait que son intelligence était en fait très développée. Les années difficiles se succédaient et partout les miséreux mouraient de faim dans les campagnes.

Alors que l'été avait été particulièrement pluvieux et que la récolte était encore plus maigre que les précédentes, le couple de bûcherons se trouva bientôt privé de toute nourriture ; depuis de nombreuses semaines, l'unique repas qu'ils donnaient chaque soir à leurs enfants n'était plus constitué que d'un gobelet d'eau, de vieux pain rassis et de quelques racines bouillies. Les petits étaient pâles à faire peur et si maigres que l'on pouvait compter leurs côtes.

Un soir, alors que leur mère les avait couchés le ventre presque vide, elle retourna s'asseoir à la table où l'attendait son mari accablé de fatigue et de désespoir, se tenant la tête entre les mains. " Nous ne pouvons plus continuer ainsi, se lamenta la pauvre femme, encore une semaine et nous verrons nos enfants mourir de faim sous nos yeux. — Je ne puis m'y résoudre, lui répondit son mari, les joues couvertes de larmes ; les voir souffrir ainsi me brise le cœur. Je préfère encore les perdre dans la forêt que de les voir périr devant moi. — Tu n'y penses pas ! " s'écria sa femme, si fort qu'elle réveilla le Petit Poucet. L'enfant se glissa jusqu'à la porte de la pièce à vivre et écouta. Le bûcheron finit par décider son épouse qu'il serait moins pénible de les abandonner vivants en espérant que la providence voudrait bien veiller sur eux, que de les voir mourir sous leur toit. " Demain matin, nous les conduirons au plus profond des bois, nous leur demanderons de ramasser des brindilles, les laissant à leur ouvrage, nous partirons sur la pointe des pieds, proposa le père d'une voix noyée par les sanglots. "

Avant l'aube, le Petit Poucet sortit de la masure et se rendit à la rivière où il remplit ses poches de cailloux blancs ; il retourna se coucher sans un bruit. Lorsqu'il se retrouva au cœur de la forêt avec ses frères et sœurs, il ne dit rien comme à son habitude. Vers midi, il vit ses parents s'éloigner mais n'en conçut aucune crainte : il avait semé les petits cailloux blancs tout au long du chemin. Quand les enfants se rendirent compte que leurs parents avaient disparu, il leur parla ainsi : " Cessez donc vos jérémiades et suivez-moi plutôt ; nous serons rentrés à la maison sous peu ! " Et c'est ainsi que le Petit Poucet ramena ses frères et sœurs chez eux avant la nuit. Parvenus devant la porte de la chaumière, ils n'osèrent pas entrer et coururent se cacher dans l'étable vide qui jouxtait la pièce à vivre. À l'intérieur, les parents se désolaient du tour que le sort venait de leur jouer : le seigneur qui leur devait cent sous depuis longtemps, venait de les faire porter et ils avaient pu acheter de quoi manger pour longtemps. La bûcheronne disputait violemment son mari, lui reprochant d'avoir eu cette cruelle idée. " Ah ! Que ne donnerais-je pour revoir mes chers petits, leur servir un bon repas et les regarder manger de bon appétit ! " Sur ces mots, les sept gamins criant et riant se précipitèrent dans les bras de leurs parents ivres de joie et se mirent à table pour déguster le repas que leur mère leur servit de bon cœur.

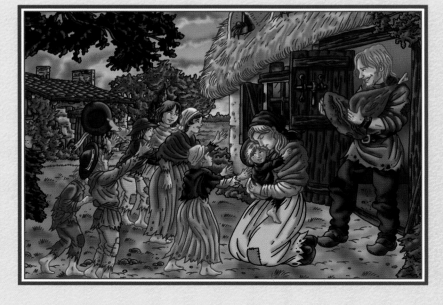

**A**u fur et à mesure que les cent sous fondaient dans la bourse du bûcheron, l'angoisse des parents augmentait et aucune rentrée d'argent n'était à prévoir.

Si bien que quelques semaines plus tard, le garde-manger étant à nouveau vide, les pauvres parents durent encore se résoudre à perdre leurs enfants dans la forêt.

Le Petit Poucet avait remarqué la mine sombre de sa mère alors qu'elle servait la soupe ; c'était plutôt un bouillon d'eau chaude dans lequel baignait le même os depuis plusieurs jours. En voyant les yeux de la pauvre femme rougis et noyés de larmes, il comprit que l'heure de les perdre serait bientôt venue. Dès qu'il eut quitté la table, le ventre toujours tiraillé par la faim, l'enfant courut vers la porte d'entrée, pensant remplir ses poches de cailloux blancs. Hélas, la porte était verrouillée et la clef avait disparu. Le Petit Poucet revint alors à la table et se saisit d'un reste de pain moisi.

Il le mit au fond de sa poche et rejoignit ses frères et sœurs ; ils étaient tous déjà couchés et leur mère cherchait le Petit Poucet du regard. Il revêtit sa chemise de nuit et se mit vite au lit, écoutant d'une oreille distraite l'histoire que sa maman disait d'une voix douce et triste pour endormir ses enfants.

Au matin, comme il l'avait pressenti, le Petit Poucet dut accompagner ses parents dans la forêt avec ses frères et sœurs ; il prit soin de laisser tomber des miettes de ses poches. Lorsque les enfants prirent conscience que père et mère avaient disparu, ils surent qu'ils étaient de nouveau perdus en pleine forêt. Le Petit Poucet, certain que les miettes leur indiqueraient comment rentrer chez eux, interrompit les cris et larmes en demandant aux autres enfants de le suivre.

Mais après plusieurs heures de recherche, il devint évident que les petits morceaux de pain avaient disparu ; un gros merle sifflait sur une branche et paraissait fort content de son repas. " J'ai bien peur, commença le Petit Poucet, que nous ne soyons cette fois vraiment perdus ; les oiseaux ont mangé les miettes que j'avais semées tout au long des sentiers. "

Ces frères et sœurs s'écrièrent :

"- Qu'allons nous devenir ? Nous allons mourir de faim ! Les loups vont nous dévorer ! Comment retrouverons-nous la maison ? " Le crépuscule annonçait déjà les premières noirceurs de la nuit ; les enfants étaient si effrayés que le Petit Poucet forçant la voix, leur dit : " Je vais grimper en haut de ce grand arbre et rechercher une maison ; nous y passerons la nuit et demanderons notre chemin ! "

Parvenu au faît du plus haut chêne, il scruta l'horizon ; une mer d'arbres sombres ondulait au dernier vent du soir ; pas de chaumière, pas de cabane, pas la moindre lumière ne s'offrait à sa vue. Il s'apprêtait à redescendre bredouille, lorsqu'il entrevit une lueur au fond d'un vallon. " Nous sommes sauvés, s'écria-t-il, suivez-moi ! "

La petite bande rassérénée à l'idée de trouver bientôt couvert et gîte pour la nuit, marchait d'un bon pas dans la direction indiquée par le Petit Poucet. L'obscurité était épaisse et la forêt se faisait à chaque instant plus effrayante.

Cris inconnus, bruissements de feuilles, craquements de branches, les bruits glaçaient d'effroi le sang des enfants.

Enfin, une clairière apparut et ils découvrirent une imposante bâtisse de granit flanquée de deux tours crénelées ; les fenêtres à meneaux laissaient passer une lumière chaude et rassurante.

Devant la grande porte, le Petit Poucet se fit porter par deux de ses frères pour actionner le heurtoir à tête d'ours. Un des battants s'ouvrit sur une femme au regard inquiet .

e Petit Poucet se présenta ainsi : " Nous sommes sept enfants égarés dans la forêt ; nous avons grand faim et voudrions nous abriter pour la nuit. Pouvez-vous nous offrir l'hospitalité ? — Mes pauvres petits, répondit la châtelaine, vous vous trouvez en la demeure de mon Seigneur l'Ogre qui considère les enfants comme son met préféré ! Sauvez-vous vite avant qu'il ne rentre de la chasse et ne songe à vous dévorer ! — Quitte à servir de pitance, autant rester au chaud chez vous, supplia l'enfant. Dans la forêt, nous ne ferons que nourrir les bêtes féroces, et dans le noir en plus ! Par pitié, cachez-nous juste pour cette nuit ! ”

L'épouse de l'Ogre qui était aussi mère de sept petits ogres et ogresses, n'eut pas le cœur de renvoyer les enfants perdus. Elle leur donna un bon repas chaud qu'ils avalèrent sans mot dire, puis elle leur installa un lit de fortune dans l'immense garde-manger. Leur laissant une bougie pour toute lumière, elle referma la porte en leur recommandant de ne pas faire de bruit.

À peine avait-elle refermé la clenche sur eux que l'Ogre fit irruption dans l'entrée du manoir en hurlant : “ J'ai chassé jusqu'à la nuit et cela m'a donné une faim de loup ; va me ranger ces perdrix et sers mon dîner ! ” Quand il se fut attablé, le cruel époux se mit à déchirer un lapin dégoulinant de sauce, tout en vidant d'un trait une pinte de vin rouge. Soudain, il se figea, les narines grandes ouvertes, et se mit à grogner : “ Cela sent la chair fraîche ! — Ce sera l'odeur de vos perdrix, mon bon ami ! ” répondit-elle, la voix hésitante.

"**J**e ne vous parle pas de viande morte. Je vous affirme que cela sent la chair fraîche, hurla-t-il en se levant d'un geste brusque qui renversa sa chaise. Il faut donc que vous me cachiez quelque chose ! "

Elle ne savait que répondre et l'Ogre fouillait chaque recoin de la maison, jusque dans les conduits des cheminées éteintes. Finalement, il se dirigea vers le garde-manger ; son épouse qui tremblait autant pour elle-même que pour les enfants, tenta de détourner son attention ; mais hélas, l'Ogre ouvrit la porte, dévoilant le Petit Poucet, ses frères et ses sœurs blottis sous une étagère. "— Voilà de la bonne chair fraîche, abondante et bien conservée ; je m'en vais saigner soigneusement tout ce petit monde ; cela fera un beau festin pour mon prochain banquet d'Ogres ! Peut-être serait-il sage, tenta la pauvre femme, d'attendre quelques jours pour cet ouvrage, mon époux, il se fait tard et il sera bien temps !

— Tu as raison, gronda-t-il en lui jetant un regard cruel, engraisse-les pendant trois jours, ils n'en seront que meilleurs ! "

Fatigué par sa journée de chasse, l'Ogre referma la porte du garde-manger et s'alla coucher promptement.

La châtelaine conduisit les enfants dans une chambre meublée de deux grands lits ; quatre petits ogres dormaient dans l'un et trois petites ogresses dans l'autre. Les sept petits monstres étaient tous coiffés d'une couronne dorée. En ronflant, ils entrouvraient leurs vilaines bouches, découvrant de petites dents pointues et trop espacées. Leur mère les rassembla tous dans le lit de droite et fit coucher les sept enfants dans celui de gauche, coiffés d'un bonnet de nuit bleu. Ayant posé un dernier regard attendri sur ses petits, elle souffla les deux lampes à huile et referma doucement la porte.

Dès que les pas de la châtelaine se furent éloignés, le Petit Poucet bondit hors du lit, arracha les bonnets de ses frères et sœurs et se glissa jusqu' au lit des petits ogres et ogresses. Il remplaça sur leurs fronts bombés, les couronnes par les bonnets. Et revenant à son lit sur la pointe des pieds, il fit porter une couronne à chacun des siens.

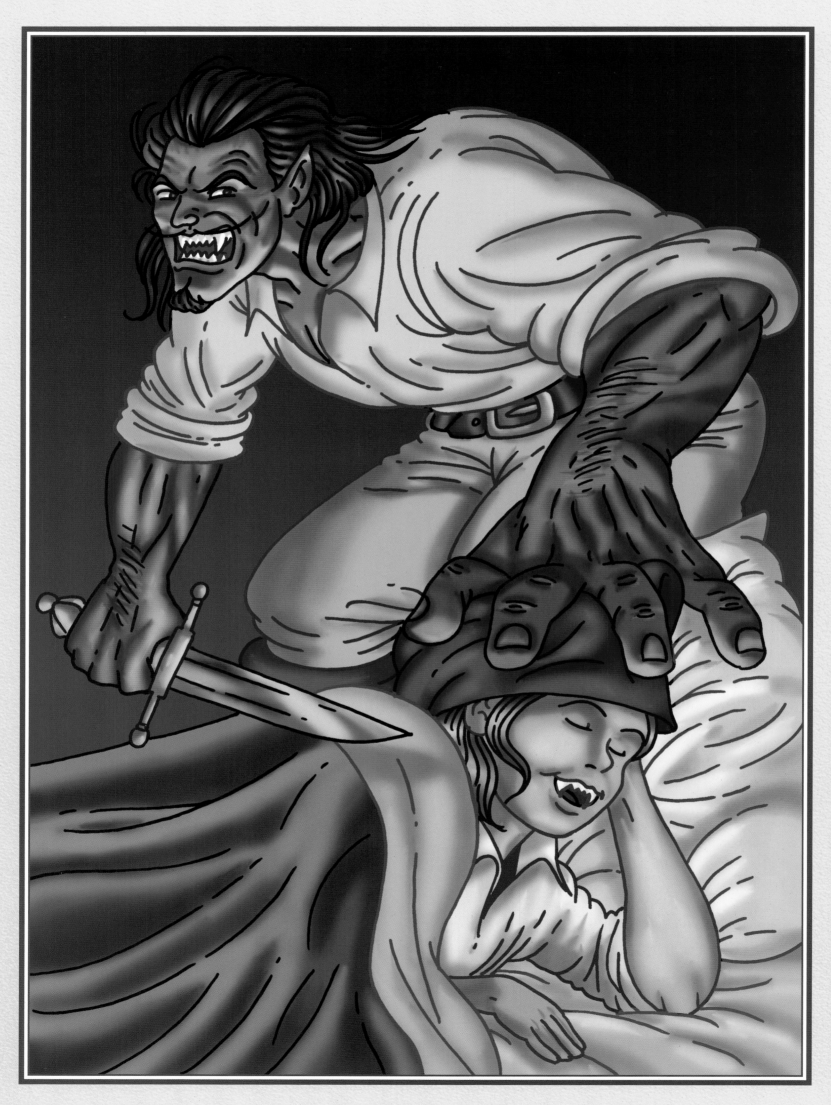

Alors que minuit sonnait, l'Ogre s'éveilla en sursaut, regrettant de n'avoir pas exécuté sa triste besogne ; il se rendit à la cuisine, se saisit d'un grand couteau et remonta jusqu'à la chambre des enfants. Négligeant d'allumer les lampes à huile, il s'arrêta devant le lit de gauche, leva son grand couteau et pris d'un doute, chercha à tâtons les bonnets sur les petites têtes ; grande fut sa surprise d'y trouver des couronnes. " J'allais faire un joli travail ! Je me suis trompé de lit, " chuchota-t-il en tournant les talons. Ayant trouvé les sept têtes coiffées de couronnes, il égorgea consciencieusement ses sept enfants et s'en retourna dormir. Le Petit Poucet réveilla ses frères et sœurs, leur dit de s'habiller sans bruit pendant qu'il nouait les draps pour en faire une corde. Il ouvrit une des fenêtres, attacha l'extrémité de la corde au meneau et la lança dans le vide. Il fit descendre un à un les enfants le long du haut mur du manoir, sortant de la pièce en dernier. Les fugitifs suivirent un sentier qui s'enfonçait dans la forêt, marchèrent toute la nuit et la matinée suivante. Enfin, la fatigue les terrassant, ils s'endormirent sous une souche, blottis les uns contre les autres, alors que le soleil était à son zénith.

 u matin, l'Ogre fut arraché à ses rêves par les cris d'horreur et de désespoir de sa pauvre femme qui venait de trouver leurs sept petits égorgés.

Fou de douleur et furieux de s'être fait ainsi flouer, l'Ogre avait chaussé ses bottes de sept lieues et s'était lancé à la recherche des enfants, bondissant de collines en vallons grâce à ses souliers magiques. Il inspecta ainsi toute la contrée. Ne trouvant aucun indice, il se sentit soudain épuisé et s'allongea contre un arbre, à deux pas d'où dormaient les enfants.

Par bonheur, il était si fatigué qu'il ne sentit pas leur présence. Le Petit Poucet, réveillé par l'arrivée du monstre, lui ôta ses bottes de sept lieues et les chaussa ; comme elles étaient magiques, elles s'adaptèrent parfaitement à sa petite taille et il put s'envoler pour retrouver le chemin de la maison. Il l'indiqua bientôt à ses frères et sœurs qui fuirent loin de l'Ogre pendant qu'il était profondément endormi.

Comme il avait entendu dire que le Roi avait besoin d'un messager, le Petit Poucet proposa ses services. Avec ses bottes magiques, il fit de tels prodiges que le Roi le couvrit d'or et d'honneurs.

Quant à l'ogre, on raconte que le meurtre de ses sept enfants le rendit fou ; privé des bottes de sept lieues, il ne parvint plus à capturer ni gibier, ni être humain ; il dépérit de jour en jour.

Sa femme en profita pour s'enfuir dès qu'elle fut certaine qu'il ne parviendrait pas à la rattraper. Il s'enferma dans son manoir et l'on n'entendit jamais plus parler de cet horrible monstre.

Le Petit Poucet devint un des personnages parmi les plus importants du Royaume ; il aida ses frères et sœurs à s'établir confortablement.

Son père fut fait Bûcheron du Roi ; il fournit le bois pour toutes les cheminées du château. Et depuis, cette famille ne connut plus jamais la misère, grâce au plus petit, au plus discret, au Petit Poucet.

FIN

Blanche-Neige
et les Sept Nains

*I*l était une fois une reine douce et bonne qui vivait dans un château de pierres blanches ; ses mille tours aux toits d'ardoise pointus dominaient une riante vallée couverte de vignobles et de champs de pommiers. Par un aprèsmidi d'hiver où la neige tombait en gros flocons duveteux, la reine cousait dans sa chambre. Elle se tenait dans l'entrebâillement d'une fenêtre d'un noir bois d'ébène finement sculpté ; comme elle s'était piquée au doigt, trois gouttes de sang tombèrent dans la neige, tel celui des oies sauvages de Perceval. La douce femme se prit à rêver d'avoir une fille belle comme le jour, au teint blanc comme la neige, aux joues rouges de sang et aux longs cheveux noirs.

Son souhait fut bientôt exaucé et l'enfant qui naquit fut nommée Blanche-Neige. Par malheur, la Reine vint à mourir et le Roi perdu dans son désespoir, se morfondit pendant un an.

Finalement sorti de son long deuil, le Roi se décida à prendre une nouvelle épouse ; sa nouvelle femme d'une grande beauté, était aussi arrogante que rongée par la vanité. Chaque soir, elle s'asseyait à sa coiffeuse, se penchait vers le Miroir Magique et lui demandait d'une voix haletante, comme si sa vie dépendait de la réponse attendue : " Miroir, ô mon Miroir, dis-moi qui ici-bas est la plus belle ? " Alors, dans un souffle qui faisait vaciller la flamme sur les candélabres d'argent qui l'entouraient, le Miroir ronronnait d'une voix lente et profonde : " Reine, ô ma Reine, c'est toi la plus belle de tout le Royaume ! " Comme elle savait le Miroir magique incapable de mentir, elle soupirait de plaisir et allait se coucher ivre d'orgueil. Plusieurs printemps avaient couvert les vignes de jeunes feuilles et Blanche-Neige était devenue la plus belle des petites filles, douce et gracieuse, au sourire radieux et à la voix enchanteresse.

Sa belle-mère, la Reine, s'en était aperçue et en ressentait chaque jour plus de jalousie et de haine.

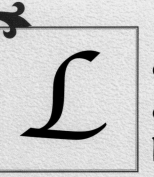

Le jour de ses douze ans, Blanche-Neige reçut en cadeau du Roi son père, une robe de soie et de tulle blanc finement brodée de fil d'argent et toute rehaussée de turquoises. Elle parue si belle à la cour, les cris d'admiration fusaient si nombreux sur son passage, que la Reine furieuse se retira brusquement dans ses appartements sans même prendre congé du Roi. Elle se précipita sur son miroir magique et d'une voix effrayante le questionna comme à son habitude : " Miroir, ô mon Miroir, dis-moi qui est la plus belle du Royaume ? " Alors, un vent de tempête se leva renversant tout sur son passage, des éclairs jaillissaient du miroir lorsque enfin il s'écria de sa voix la plus grave : " Reine, ô ma Reine, aussi vrai que la foudre peut terrasser les grands chênes, ta beauté est éclatante, mais Blanche-Neige est sans conteste la plus belle de tout le Royaume ! " La Reine entra alors dans une rage effroyable, déchirant ses vêtements, labourant ses joues de ses longs ongles rouges, arrachant même ses beaux cheveux par poignées. Après de longues minutes de cette folie, la mauvaise femme recouvra ses esprits et fit venir son serviteur le plus fidèle : " Je veux, hurla-t-elle, que la nuit prochaine tu te saisisses de Blanche-Neige dans son sommeil, que tu l'entraînes au plus profond de la forêt et que tu me rapportes son cœur encore chaud ; je le mangerai demain matin ! "

L e grand homme maigre au regard fuyant courba le dos et sortit à reculons de la pièce. Le soir venu, une fois tout le château plongé dans un profond sommeil, il glissa au fil des couloirs mal éclairés jusqu'à la chambre de

Blanche-Neige et l'emporta jusqu'aux écuries. Sautant sur son cheval, il piqua des deux vers la forêt, s'enfonçant dans la nuit par un clair de lune rousse, sa prisonnière toujours endormie dans ses bras.

Dans une clairière aux fins fonds des bois, l'homme sauta de cheval et déposa Blanche-Neige sur la mousse au pied d'un long hêtre au tronc gris et lisse. Ses ordres étaient clairs : il devait la faire périr ; certes, mais il en était bien incapable et il la laissa ainsi étendue sur sa couche végétale. À l'instant où il allait remonter en selle, un marcassin vint à passer quelques pas devant lui ; sortant sa dague, il trucida l'animal et mit son cœur encore battant dans ses fontes. En s'éloignant, il se sentait un peu soulagé, mais il ne put se retenir de murmurer : " Pauvre petite, la voilà seule au milieu de la forêt hostile ; hélas, elle ne reverra pas le jour, les bêtes auront tôt fait de la dévorer. "

Lorsqu'elle s'éveilla, Blanche-Neige était entourée d'une multitude d'animaux qui la regardaient en silence : le lièvre aux longues oreilles, l'écureuil roux qui rongeait une pomme de pin, la biche dont les beaux yeux clignaient sans cesse au premier soleil du matin, la taupe qui n'y voyait rien et demandait au sanglier son voisin de lui décrire la scène.

"Où suis-je ? demanda Blanche-Neige au hibou perché juste au-dessus d'elle. — Hum, hum, je crois que vous êtes perdue, jeune fille, grogna l'oiseau d'un air bougon, vous avez dû vous égarer lors d'une promenade et vous vous serez endormie à la nuit tombée. — Mais non, interrompit le lièvre, je l'ai vue arriver au grand galop sur un cheval richement harnaché, en plein milieu de la nuit ; dès que son cavalier l'eut posée là, il repartit d'où il était venu à bride abattue. "

Le lièvre décrivit du mieux qu'il put le cavalier et la jeune fille reconnut en cet homme le plus fidèle serviteur de sa belle-mère ; elle comprit qu'elle avait été abandonnée là et que cette mésaventure était due à la Reine dont elle pressentait depuis longtemps la méchanceté. Elle se mit à pleurer.

Ses nouveaux amis se demandaient comment la consoler.

L'écureuil lui offrit une belle pomme de pin croustillante à souhait... un mets de choix, pour les écureuils ! Le hibou attrapa une musaraigne par la queue et la lui tendit en affirmant : " Mangez-la pendant qu'elle est chaude, elle n'en sera que plus savoureuse ! " La jeune fille sécha ses pleurs, caressa doucement la musaraigne et la reposa dans la mousse où le petit rongeur s'enfuit en zigzagant.

Blanche-Neige demanda à ses compagnons où elle pourrait trouver refuge dans cette contrée inconnue. " Dans mon terrier, proposa le lièvre, dans mon nid renchérit le hibou et finalement la biche mit tout le monde d'accord : " Mes amis, ne croyez-vous pas qu'il vaudrait mieux qu'elle se rende dans la chaumière des sept nains de l'autre côté de la montagne ? " Ayant séché ses larmes et fait ses adieux, elle partit dans la montagne. Elle franchit plusieurs torrents, grimpa dans des alpages verdoyants, redescendit sur une pente couverte d'une haute forêt de sapins. Elle avait marché ainsi tout le jour lorsqu'elle vit au milieu d'une clairière plantée de fleurs multicolores, un charmant petit chalet tout pimpant avec ses petits volets de bois et son toit couvert de chaume.

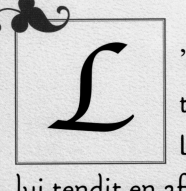

Elle poussa la porte d'entrée en lançant : " Bonjour, y a-t-il quelqu'un ? "
Aucune réponse ne vint. Elle dut presque se courber en deux pour
franchir le seuil ; un tapis vert souhaitait la bienvenue aux visiteurs.
L'intérieur était minuscule, très propre et bien rangé ; un porteman-
teau en bois était suspendu dans l'entrée.

À droite, une porte en bois peinte d'un paysage de neige, s'ouvrait
sur un salon où sept petits fauteuils de velours bleu étaient rangés
autour d'une cheminée. À gauche, une autre porte peinte d'un
paysage de printemps, conduisait à une salle à manger dont tout
le centre était occupé par sept petites chaises et une petite table
couverte d'une nappe à carreaux verte.

Elle était dressée de sept couverts minuscules entourant sept petites assiettes, sept petites serviettes et sept petits verres chacun d'une couleur différente.

Blanche-Neige avait grand faim si bien qu'elle s'assit devant chacune des petites assiettes, grignota un peu de chacun des petits morceaux de pain, but une gorgée dans chacun des petits verres et s'essuya la bouche dans chacune des petites serviettes. Une fois terminés ses sept minuscules repas, elle se sentit très fatiguée. Elle grimpa les marches du petit escalier et dut se plier en deux pour pénétrer dans une adorable chambre mansardée tendue de tissu à motifs bleus. Là, étaient disposés sept petits lits de bois peint de scènes montagnardes très gaies, chacun recouvert d'une couette de couleur différente. Elle les essaya tous, espérant en trouver un à sa taille, mais en vain. Elle finit par s'endormir dans le dernier.

Lorsque les sept nains rentrèrent de leur journée de travail à la mine, quelle ne fut pas leur surprise de trouver leurs pains grignotés, leurs verres à moitié bus et leurs serviettes dépliées. " Qui est là ? demanda le plus courageux.

— Quelqu'un se cache dans notre maison ; cherchons-le, reprit un autre. " Ils eurent tôt fait de découvrir Blanche Neige profondément endormie dans le dernier petit lit. " Quelle est belle ! murmura l'un.

— Qu'elle a de beaux cheveux ! renchérit un autre.

— Chut ! ordonna un troisième, vous allez la réveiller.

Ils redescendirent sans bruit et s'installèrent à table après s'être lavés et avoir changé leurs vêtements noircis par le charbon. Tout en mangeant, ils discutaient vivement du sort qu'ils allaient réserver à la belle inconnue. Certains, les plus craintifs, voulaient la faire partir au plus vite ; d'autres préféraient lui laisser le temps de se reposer ; quelques-uns la trouvaient si belle et douce qu'ils auraient bien aimé qu'elle restât. Le ton était monté progressivement, si bien qu'ils finirent par faire tant de bruit qu'ils réveillèrent Blanche-Neige.

Elle descendit les petits escaliers et se joignit à eux. Rassurée de voir des visages avenants, elle leur raconta sa mésaventure ; de grosses larmes coulaient sur ses joues, ce qui émut beaucoup la petite assistance. Lorsqu'elle se tut, tous furent unanimement d'accord pour lui proposer de l'héberger aussi longtemps qu'elle le souhaiterait, ajoutant que, dès le lendemain, ils lui construiraient une jolie chambre rose pour elle toute seule. Elle les remercia et leur offrit de tenir la maison en leur absence. Ainsi fut décidé et le plus prévoyant qui craignait que la méchante Reine ne cherchât encore à tuer Blanche-Neige, lui fit promettre de n'ouvrir à personne en leur absence.

Et pour Blanche-Neige commença une nouvelle vie gaie et simple ; les sept nains étaient drôles et attentionnés. Ils prenaient soin de la jeune fille et elle s'attacha bientôt à eux. Plusieurs saisons passèrent ainsi, au rythme des journées de travail et des soirées au coin du feu à chanter et à lire de jolies histoires.

Au château, la Reine hypocrite avait longuement porté le deuil de la Princesse, sa belle-fille et fait mine de consoler le Roi qui avait envoyé ses meilleurs soldats aux quatre coins du Royaume pour retrouver sa fille chérie. Le triomphe de cette mauvaise femme était total.

Le souverain désespéré d'avoir perdu sa fille chérie lui abandonna les affaires et elle se mit à régner à sa place. Mais par un soir d'orage, elle eut envie de se griser des mots doux que son Miroir Magique ne pouvait manquer de lui répondre ; dès qu'elle se retrouva seule dans sa chambre, elle posa la terrible question : " Miroir, ô mon Miroir, une fois encore dis-moi qui est la plus belle ! " Alors, un long mugissement se leva et la tempête fit exploser tous les vitraux de la chambre ; des éclairs jaillissaient du Miroir, meubles et bibelots volaient dans la pièce et se fracassaient sur les murs.

Au milieu de ce tumulte, la voix caverneuse s'éleva et dit :

" Reine, ô ma Reine, aussi vrai que la neige de Janvier peut descendre des glaciers et tout dévaster sur son chemin, ta beauté est éclatante, mais Blanche-Neige qui vit chez les Sept Nains par-delà la Montagne, est sans conteste la plus belle de tout le Royaume ! " La Reine dévorée par la haine, se changea en une affreuse sorcière bossue au teint verdâtre et aux ongles crochus ; ses yeux orangés flamboyaient dans la nuit. Assoiffée de vengeance, elle se précipita dans la salle des gardes où sommeillait son fidèle serviteur.

yant compris qu'il n'avait pas accompli sa mission, elle passa derrière lui sans dire un mot, et lui planta une dague dans le cœur. Gagnant les souterrains secrets du château, elle s'enferma dans une pièce remplie de fioles, de bocaux et d'animaux morts. " Cette fille m'empoisonne la vie depuis trop longtemps ; chacun son tour. Je vais lui préparer une belle pomme d'api rouge, sucrée et brillante, appétissante et délicieusement… mortelle ! " s'écria-t-elle dans un rire effrayant. Par un bel après-midi de fin d'été, alors que ses petits compagnons étaient partis travailler dans leur mine, Blanche-Neige entendit frapper à la porte.

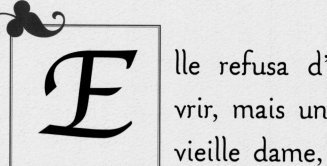

Elle refusa d'ouvrir, mais une vieille dame, insistait, le visage caché sous un mauvais fichu : " Ouvre-moi, jolie jeune fille, j'ai pour toi un cadeau de la part de tes amis les Sept Nains ; ils veulent par ce présent te prier de les excuser car ils seront en retard pour dîner. — Mais ils m'ont interdit d'ouvrir aux inconnus, répondit Blanche-Neige qui salivait en regardant au travers des carreaux, la pomme si appétissante que tendait la vieille femme. — Je ne suis pas une inconnue puisque je te rends cette visite de leur part, reprit la mégère. "

Blanche Neige qui ne voyait jamais à mal, se sentit rassurée par ce dernier argument et ouvrit la porte. La vieille soudain encore plus courbée, lui tendit la terrible friandise en sifflant :

" Oh, qu'elle est belle ! Tiens, voilà ton cadeau, ma jolie. Je suis sûre que tu l'as mérité. Profites-en et n'en perds pas une miette !

— Merci beaucoup, Madame, répondit la malheureuse, et pardonnez-moi de ne pas pouvoir vous faire entrer, mais hélas, cela ne m'est pas permis ! " Elle referma la porte sans avoir croisé le regard féroce et flamboyant qui l'eût alertée.

Blanche-Neige se remit à son ouvrage ; elle ne pouvait détacher son regard de la pomme rouge qui brillait de tous ses feux sur la table. Finalement, n'y tenant plus, elle la prit dans sa jolie main fine et pâle, la regarda une fois encore avec envie et la porta à sa bouche.

À peine en eut-elle croqué une bouchée, que la jeune fille fut prise d'un tremblement et s'écroula inanimée.

Rentrant de leur dure journée de labeur, les Sept Nains trouvèrent leur chère amie et ne purent que constater sa mort.

*I*ls emportèrent Blanche-Neige jusqu'en haut de la montagne et l'installèrent là sur un socle de granit au milieu des azalées et des edelweiss dans un cercueil de cristal qu'ils sculptèrent entièrement ; à tour de rôle, ils se mirent à la veiller jour et nuit.

Pendant plusieurs années, les animaux de la forêt, ses vieux amis, vinrent lui rendre visite.

Blanche-Neige gisait là, toujours belle et comme endormie. Après bien des hivers et bien des étés, par un beau matin du mois de mai, un prince vint à passer ; intrigué par le cercueil de cristal, il voulut s'en approcher.

Le Nain qui montait la garde l'en empêcha ; comme le jeune homme lui en demandait la raison, il lui raconta la triste histoire de la jeune fille. Comme une larme coulait sur la joue de son auditeur, le Nain décida de lui faire confiance et le conduisit jusqu'à la sépulture.

En voyant Blanche-Neige, le Prince fut pris d'un amour fou, mit un genou en terre et s'écria : " Par mon sang, je jure devant mes ancêtres que je suis prêt au plus grand sacrifice pour ramener cette jeune fille à la vie ; si j'y parviens, je jure de l'aimer jusqu'à mon dernier souffle. " Une brise légère se leva et fit tomber les quelques feuilles mortes qui jonchaient le cercueil.

Ayant écarté le dôme de cristal, le beau jeune homme se pencha sur le visage de Blanche-Neige et posa ses lèvres sur les siennes ; à cet instant, elle ouvrit lentement les yeux et sourit à son sauveur.

Tous ses amis étaient accourus en apprenant la bonne nouvelle et une grande fête fut donnée dans la forêt en l'honneur des amoureux. Après de longs et émouvants adieux, le Prince invita Blanche-Neige à monter sur son blanc destrier ; il l'emporta dans son château où ils vécurent heureux et eurent beaucoup d'enfants.

Quant à la Reine, on raconte que le temps et la méchanceté ayant flétri sa beauté, elle en était morte de dépit.

La Belle au Bois Dormant

Il était une fois un Roi et une Reine qui habitaient un somptueux château dont les mille tours et les remparts crénelés brillaient au soleil et se reflétaient dans les lacs et les bassins. Le Roi juste, bon et généreux, était très aimé. La Reine douce et sensible prenait soin des plus démunis et se rendait utile aux quatre coins du Royaume.

Pourtant, le chagrin dévorait le cœur des souverains parce qu'ils ne parvenaient pas à avoir d'enfants. La Reine avait consulté tous les médecins, druides et magiciens sans succès.

Un matin qu'elle prenait le bain, elle vit sortir de l'eau un crapaud qui sauta sur le guéridon et lui tint ce langage :

" Ma bonne Reine, il m'a été rapporté que ton époux et toi-même voulez une descendance, mais la nature se refuse à exaucer votre vœu. Eh bien, sache que bientôt tu seras mère et cela sera juste puisque je le veux ! "

À peine eut-il fini sa phrase que le crapaud plongea dans la baignoire et disparut.

La Reine, stupéfaite de cette soudaine apparition, pensa à une hallucination matinale, pourtant, quelques semaines plus tard, elle constata que son ventre s'arrondissait.

Le matin où la Princesse naquit, toutes les cloches du Royaume retentirent ; on dansa et on chanta partout jusqu'au jour suivant. Comme elle était née au lever du soleil, ses parents l'appelèrent Aurore. Le Roi, fou de joie, invita pour son baptême toutes les fées du Royaume afin qu'en cadeau de naissance, elles lui offrent chacune un don.

Des écuyers parcoururent toute la contrée et revinrent après avoir lancé sept invitations. Le souverain fit confectionner sept couverts d'or sertis d'émeraudes et de rubis, sept gobelets furent finement ciselés ; la plus belle nappe fut brodée de fils d'argent, incrustée de miroirs et de saphirs multicolores. Chacune des sept assiettes de faïence peinte représentait un des plus beaux paysages du Royaume. Le repas se déroula dans une ambiance de liesse et les sept fées remercièrent leurs hôtes de les recevoir avec tant d'égards.

éjà le soleil disparaissait derrière les montagnes enneigées ; les Fées se penchèrent sur le berceau d'Aurore et d'un coup de leur baguette magique lui firent don des plus belles qualités. " Moi, ta Marraine, par ma baguette et pour toute une vie de joie, j'ordonne que la beauté soit tienne ! dit la pre-mière. — Moi, ta Marraine, par ma baguette et pour toute une vie de joie, j'ordonne que l'intelligence soit pour toi ! lança la deuxiè-me. — Moi, ta Marraine, par ma baguette et pour toute une vie de joie, j'ordonne que la générosité guide tes pas ! ordonna la troi-sième. — Moi, ta Marraine, par ma baguette et pour toute une vie de joie, j'ordonne que la droiture jamais ne te quitte ! ajouta la quatrième. — Moi, ta Marraine, par ma baguette et pour toute une vie de joie, j'ordonne que le courage soit toujours avec toi ! " reprit la cinquième.

La sixième fée s'apprêtait à toucher le front du bébé de sa baguette magique, lorsqu'un grand fracas retentit ; la porte fut arrachée de ses gonds par un souffle surnaturel. Un lourd nuage de fumée verte déferla dans la pièce et rampa jusqu'au berceau ; des éclairs déchirèrent la pénombre et la fumée s'éleva lentement au-dessus du bébé, prenant la forme de la Fée Maléfique.

Toute l'assemblée était pétrifiée de terreur ; seul le Roi tenta de s'interposer pour protéger son enfant, mais la Sorcière pointant un doigt de brume vers lui, le projeta à l'autre bout de la pièce.

Elle se retourna vers le berceau et hurla d'une voix qui fit exploser tous les vitraux :

" Moi, ta sombre Marraine injustement oubliée, par la noirceur de mes pouvoirs, je dis qu'au jour de tes seize ans, tu te piqueras le doigt sur un fuseau et en mourras, Ah, Ah, Ah ! "

La brume verte se retira et le silence revint sur l'assistance écrasée par le malheur. Le bébé se mit à crier et à s'agiter dans son berceau, comme si Aurore avait compris les sinistres paroles de la Fée Maléfique.

Les deux fées qui n'avaient pas encore fait leur don se trouvaient

être les plus jeunes ; elles n'avaient ni la force ni l'expérience suffisante pour annuler la malédiction qui s'était abattue sur l'enfant.

La sixième leva pourtant sa baguette et déclara : " Moi, ta Marraine, par ma baguette et même si je ne puis défaire le maléfice, je dis que si tu te piques le doigt sur le fuseau, tu ne mourras pas, mais tu dormiras pendant au moins cent ans !

— Et moi, ta septième Marraine, continua la dernière fée, par ma baguette, j'ordonne qu'au bout de ces cent années, tu sois réveillée par le plus juste et le plus valeureux des Princes charmants ! "

Le Roi, que ces paroles n'avaient pas rassuré, décida

que l'on enverrait des émissaires aux quatre coins du Royaume avec pour mission de détruire tous les fuseaux. Comme il savait que cette décision risquait de pousser à la ruine tous les tailleurs et tisserands du pays, le Roi ordonna aux inventeurs et magiciens de se mettre en quête d'un nouvel outil pour tisser le fil.

La vie reprit son cours et tout le monde finit par oublier la terrible malédiction.

e jour de ses seize ans, le Roi et la Reine donnèrent une fête magnifique en l'honneur d'Aurore, à laquelle les sept Fées, ses Marraines, et tous les habitants du Royaume furent conviés.

Des buffets chargés des mets les plus fins furent servis ; les boissons les plus délicieuses coulèrent à flot ; on applaudit montreurs d'ours, fakirs, charmeurs de serpents et cracheurs de feu ; les magiciens firent des tours merveilleux ; des chants et des danses retentirent dans toute la contrée jusqu'à la nuit tombée.

Aurore était devenue la plus gracieuse des jeunes filles du Royaume ; sa voix était douce et son sourire enchanteur.

Elle avait un mot gentil ou un compliment pour chacun ; elle était très érudite et sage pour son âge, savait parler de tout avec discernement et ne manquait jamais de s'intéresser aux sujets qu'elle ne connaissait pas. Elle avait un cœur d'or, ne supportait pas l'injustice et prenait toujours la défense du plus faible.

Elle aimait à rire, danser et taquiner son père ; elle rayonnait d'un bonheur qui illuminait tout le Château.

Aurore était la plus belle de toutes les Princesses.

Lorsque le soleil commença à rougir l'horizon, elle se sentit fatiguée et décida de se retirer. Comme elle montait les marches d'un escalier, elle entendit une voix féminine qui chantait un air triste. Aurore suivit le son enchanteur qui la conduisit à la porte d'une mansarde.

Elle l'entrouvrit et aperçut au fond de la pièce, une belle femme qui filait à la lueur d'une bougie.

Aurore s'approcha d'elle et lui dit : " Bonsoir, Madame, je suis la Princesse Aurore. Quel est cet étrange objet que vous tenez là ? Je n'en ai jamais vu de tel. — Approchez, mon enfant, répondit la femme au regard orangé, c'est un fuseau pour tisser le fil tel qu'on le faisait autrefois. C'est très facile ; voulez-vous que je vous apprenne ? " À ces mots, l'inconnue tendit le fuseau à la Princesse qui le saisit par l'extrémité et se piqua le doigt.

Une goutte de sang jaillit de la blessure et à sa vue, Aurore s'effondra. Un coup de tonnerre fit trembler tout le Château et la femme éclata d'un rire sinistre qui retentit au long des couloirs ; alors qu'un nuage de

fumée verte l'entourait déjà, son corps semblait comme dévoré par la brume. Lorsqu'elle se fut transformée totalement, la Fée Maléfique jeta un dernier regard à sa victime et dans le claquement d'un éclair, disparut par la fenêtre.

lertés par le vacarme, le Roi et la Reine se remémorant soudain la terrible malédiction se précipitèrent vers la mansarde.

Quand ils trouvèrent leur fille gisant inanimée sur le sol, ils comprirent qu'il était trop tard et sentirent leur cœur se briser de douleur. Ses marraines avaient dit vrai, Aurore n'était pas morte ; elle respirait calmement et s'était endormie.

Le Roi prit sa fille dans ses bras et la porta jusqu'à son beau lit brodé d'or. Les yeux noyés de larmes, il déposa tendrement un baiser sur son front.

La plus jeune des sept Fées qui avait beaucoup appris et pratiqué la magie pendant ces seize années, fit signe à ses consœurs de la laisser agir. Elle leva sa baguette magique et prononça une formule étrange. Les mots volaient dans la pièce et s'amplifiaient en enfilant couloirs et escaliers.

Bientôt le Château entier retentit de l'étrange incantation. Et de loin en loin tout s'alanguit, bêtes et gens, maîtres et serviteurs, Roi et Reine, de la plus petite musaraigne jusqu'au plus fier destrier, dans les cuisines, les salons et les écuries, partout le sommeil étendit son voile d'apaisement. Le feu se figea sous les volailles, l'eau resta gelée dans les fontaines, les feuilles s'interdirent le moindre bruissement. Pendules et

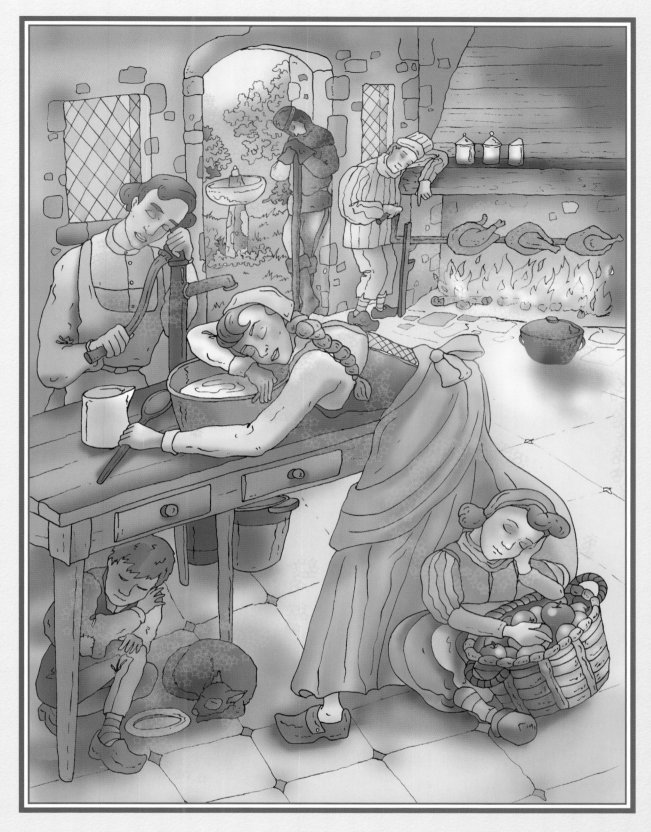

carillons, cloches et bourdons, jusqu'au plus petit gousset et le temps lui-même s'immobilisèrent pour cent ans.

Aurore reposait sur sa couche et le Monde autour d'elle l'accompagnait dans la nuit.

Un léger sourire sur ses lèvres toujours roses montrait combien les songes qui l'habitaient devaient être agréables.

L es sept Fées sortirent sur la pointe des pieds, laissant la grande bâtisse enveloppée d'un silence surnaturel. Parvenue au-delà des fossés, Candolice, l'aînée d'entre elles, dirigea sa baguette vers le Château, murmurant des phrases incompréhensibles. Et du sol tremblant, s'élevèrent ronces et broussailles, murailles de houx, remparts d'églantiers, clôtures de lierres et palissades de lauriers.

Le crépuscule embrasait déjà le ciel, quand la vaste demeure disparut dans la végétation ; le porche d'entrée fut englouti dans la barrière végétale. Seules les girouettes des plus hautes tours dépassaient de cette forêt verticale. Personne ne pourrait désormais pénétrer à l'intérieur du Château de la Princesse Aurore.

À l'instant où elles allaient se quitter, les sept Fées virent une noirceur insolite cacher les derniers flamboiements du soleil.

Un char de braise incandescente tiré par quatre chevaux de feu surgit, traînant derrière lui d'immenses volutes de fumée noire. La Fée Maléfique immobilisa son terrible attelage au pied de la muraille verte, pointa son long doigt de brume et, dans un grondement lourd de menaces, fit surgir des buissons deux énormes yeux écarlates.

Éclatant de son rire sinistre, elle s'écria :
" Voilà qui ne facilitera pas la tâche de votre Prince.
Aurore peut dormir jusqu'à la fin des temps, personne ne parviendra jusqu'à elle ! Ah, ah, ah ! " Elle tira sur les rênes fumantes, souffla de toutes ses forces sur la crinière enflammée de ses chevaux et disparut dans les airs, laissant derrière elle une âcre odeur de cendres.

C'est ainsi que cet endroit devint l'objet de craintes et de superstitions. Les paysans des campagnes environnantes n'osèrent plus approcher. De père en fils, on perdit même le souvenir de ces lieux.

Cinquante années passèrent ; le Royaume était la proie des voleurs et des brigands ; des hordes de barbares hantaient la contrée, brûlant les récoltes, pillant les greniers.

Les hivers de famine remplacèrent les étés de belles moissons ; les épidémies fauchèrent enfants et vieillards. La ruine était partout et les champs laissés en friche. Les survivants décidèrent de quérir un Prince valeureux qui pourrait les sauver.

Bien des chevaliers se succédèrent, levant des armées, livrant cent batailles, les unes perdues, les autres gagnées. Aucun ne parvenait à libérer la contrée des pillards.

Quarante années s'écoulèrent encore, toutes de misère, de mort et de désolation, jusqu'au jour où parut un beau jeune homme au regard franc, au sourire loyal. La vaillance de son épée n'avait d'égal que la ruse de son esprit. Il combattit les bandes de coupe-gorge, attira les unes dans des pièges, encercla les autres dans un gouffre, poursuivit les fuyards, pardonna aux repentis.

Après dix années d'une guerre sans merci, il réussit enfin à délivrer le Royaume. Les paysans retournèrent aux champs, les greniers se remplirent, les chaumières retentirent bientôt de rires d'enfants. Comme il songeait à se marier, le Prince réunit les sept Fées et leur demanda conseil.

Candolice prit la parole : " Mon Prince, toi qui t'es montré si courageux, si patient, généreux et bon, tu trouveras l'élue de tes rêves dans un vieux Château depuis cent ans oublié. Mais pour y pénétrer, tu devras affronter le plus féroce des dragons. "

L e fougueux jeune homme se fit conduire à la muraille végétale. Deux énormes yeux rouges le fixaient dans la pénombre des ronciers. Sautant de cheval, il s'avança sur le chemin défoncé, l'épée à la main. Lorsqu'il frappa le premier coup sur un tronc de

lierre, un immense Dragon dans un rugissement terrible, surgit gueule ouverte, ailes déployées, crachant des flammes à cent pieds.

Le Prince ne recula pas d'un pouce ; bien au contraire, il se précipita sur le monstre, lui portant des coups terribles. La bête répondait en lacérant l'air de ses griffes, tranchant des arbres entiers d'une seule volée.

Le combat dura trois jours et trois nuits et au matin du quatrième jour, le jeune homme épuisé parvint à se glisser sous le ventre du Dragon et planta son épée droit dans son cœur.

Le monstre poussa un hurlement qui retentit jusqu'aux confins du Royaume.

*I*l s'enflamma brusquement et le feu qui le dévorait gagna bientôt toutes les broussailles, détruisant la muraille qui cernait le palais. Le Château apparut aussi beau qu'au soir de son endormissement ; en un instant, la vie reprit partout ses droits, bêtes et gens retrouvèrent leurs activités là où le temps les avait suspendue.

Le Prince courut jusqu'au chevet d'Aurore ; à sa vue, il tomba éperdument amoureux. Il mit un genou à terre, prit sa main dans la sienne et posa un baiser sur ses lèvres.

La Princesse s'éveilla lentement et son premier regard fut pour celui qu'elle avait attendu depuis cent ans. Elle lui sourit.

Ils se marièrent, vécurent heureux et eurent beaucoup d'enfants.

FIN